La fiancée de Frankenstein ne fait pas de biscuits

**Debbie Dadey
et Marcia Thornton Jones**

Illustrations de John Steven Gurney

Texte français de Jocelyne Henri

Les éditions Scholastic

Aux élèves gagnants de madame Kaminski à
Springvale, Maine – MTJ et DD

Données de catalogage avant publication (Canada)

Dadey, Debbie
  La fiancée de Frankenstein ne fait pas de biscuits

(Les mystères de Ville-Cartier)
Traduction de : The bride of Frankenstein doesn't bake cookies.
ISBN 0-439-98565-X

I. Jones, Marcia Thornton. II. Gurney, John. III. Henri, Jocelyne. IV. Titre.
V. Collection : Dedey, Debbie. Mystères de Ville-Cartier.

PZ23.D2127Fi 2000   j813'.54   C00-931669-8

Édition publiée par Les éditions Scholastic, 175 Hillmount Road,
Markham (Ontario) L6C 1Z7, avec la permission de Scholastic Inc.

5 4 3 2 1   Imprimé au Canada   00 01 02 03 04 05

1

Un monstre triste

— Frank n'a pas l'air dans son assiette, dit Paulo à ses amis, Mélodie et Laurent.

Les trois enfants regardent le géant derrière le comptoir du tout nouveau casse-croûte du Complexe de glace de Ville-Cartier. Même si Frank a les épaules voûtées, sa tête touche presque l'enseigne au néon mauve suspendue au-dessus du comptoir. La lueur du néon illumine son visage pâle et fait paraître la cicatrice de sa joue encore plus grosse.

— Bien sûr qu'il n'a pas l'air dans son assiette, dit Mélodie. Après tout, il ressemble au monstre Frankenstein. C'est assez pour déprimer n'importe qui. Viens, allons nous chercher du lait au chocolat chaud et des biscuits.

Cinq minutes plus tard, les enfants s'assoient à une des tables mauves du casse-croûte. Par la grande baie vitrée, ils regardent leur amie Lisa passer devant eux à toute vitesse. Elle est à son

cours de patinage. Les trois amis entendent grogner Frank derrière le comptoir.

— Hrrmm.

Ils se tournent à temps pour le voir se prendre la tête à deux mains. Il soupire tellement fort qu'une pile de serviettes de table s'envole partout.

— On dirait qu'il a perdu son meilleur ami, dit Laurent à voix basse, en espérant que Frank n'entende pas.

— J'espère que non, murmure Mélodie, parce que le docteur Victor est son seul ami.

Le docteur Victor est le conservateur du Musée des Sciences. Il y a quelque temps, les élèves de troisième année étaient allés au musée lors d'une visite organisée. Ils s'y étaient perdus et avaient découvert le laboratoire secret du docteur Victor. Pour les enfants, ce laboratoire avait tout d'une usine de monstres.

Laurent essuie sa moustache de lait au chocolat.

— Ce n'est pas uniquement son ami, ajoute-t-il. Le docteur Victor est le scientifique qui a créé Frank.

— Nous ne sommes pas sûrs que Frank soit un monstre Frankenstein, leur rappelle Paulo, tout en lançant sa casquette de baseball rouge sur la table. C'est peut-être un grand athlète, tout simplement.

— Chut! Il faut tout de même éviter de le contrarier, prévient Laurent. Vous souvenez-vous de ce qui est arrivé la dernière fois que Frank et le docteur Victor se sont querellés?

Mélodie et Paulo font signe que oui. Après sa querelle avec le docteur Victor, Frank avait quitté son emploi au Musée des Sciences pour devenir entraîneur de hockey. Pendant tout ce temps, les enfants avaient craint que Frank ne s'empare de Ville-Cartier.

— Ce n'est pas très brillant de contrarier un monstre, reconnaît Mélodie.

— Frank est peut-être triste que ses biscuits soient si petits, dit Paulo après en avoir engloutis cinq. Le casse-croûte ne fera jamais d'argent en vendant d'aussi petits biscuits.

— Je ne pense pas que Frank s'inquiète des biscuits, dit Laurent.

— Nous allons bientôt le savoir, dit Mélodie, parce que le docteur Victor arrive!

2

Un scientifique en colère

Mélodie ne quitte pas Frank des yeux. Le géant est penché en avant, la tête sur le comptoir. Il ne voit pas le docteur Victor. De temps en temps, Frank grogne et se frappe la tête sur le comptoir.

— Ça doit faire mal, dit Mélodie, en voyant Frank continuer son manège.

Paulo fait non de la tête.

— La tête de Frank est faite d'acier, dit-il. Rien ne peut la blesser, sauf un missile de croisière.

— D'après moi, un ami pourrait y arriver, dit Laurent. Il est beaucoup plus sensible qu'on le pense.

— Je suppose que même un monstre a des sentiments, dit Mélodie, en haussant les épaules. J'espère que le docteur Victor ne va pas faire empirer les choses.

Les enfants regardent le docteur Victor qui contourne la patinoire et se dirige vers eux.

— Si vous voulez mon avis, le docteur Victor a l'air inquiet, dit Laurent.

— Je serais inquiet moi aussi si mon seul ami était un monstre, plaisante Paulo.

— Chut! fait Mélodie. Il approche.

Le docteur Victor passe devant les enfants à la vitesse de l'éclair et s'assoit à côté de Frank. Il lui met la main sur l'épaule et lui parle à voix basse.

— Je donnerais cinq dollars pour entendre ce qu'ils disent, dit Paulo.

— Si tu avais cinq dollars, bien entendu, précise Mélodie.

Paulo lance des miettes de biscuits à Mélodie.

— J'ai reçu dix dollars comme cadeau d'anniversaire, dit-il. Je les gardais pour quelque chose de spécial.

Mélodie roule les yeux.

— C'est presque un miracle! s'exclame-t-elle.

Paulo a l'habitude de dépenser son argent dès qu'il met la main dessus. Son allocation lui suffit rarement.

— Ça s'annonce mal, murmure Laurent.

Mélodie le regarde avec étonnement.

— Économiser de l'argent est une bonne chose, pourtant.

Laurent met un doigt sur ses lèvres.

— Je ne parle pas de l'argent de Paulo, explique-t-il. Je parle de Frank et du docteur Victor.

Tout en buvant leur lait au chocolat chaud, les enfants observent les deux hommes. Il est évident qu'ils ne sont pas d'accord sur un sujet. Tous les deux ont les sourcils froncés, et le docteur Victor frappe sur le comptoir.

Soudain, le docteur Victor se met à crier.

— Non! Je ne le ferai pas. J'ai fait le vœu de ne jamais refaire ce mélange!

Frank se remet la tête sur le comptoir et pousse un grognement.

— Hrrrmm!

— Est-ce qu'il pleure? demande Mélodie.

Laurent hausse les épaules. Le docteur Victor baisse la voix pour dire quelque chose à Frank, puis se redresse, pâle et tremblant.

— Tu me forces la main, dit-il à Frank d'une voix craintive. Je ferai ce que tu demandes, mais je ne serai pas responsable des conséquences!

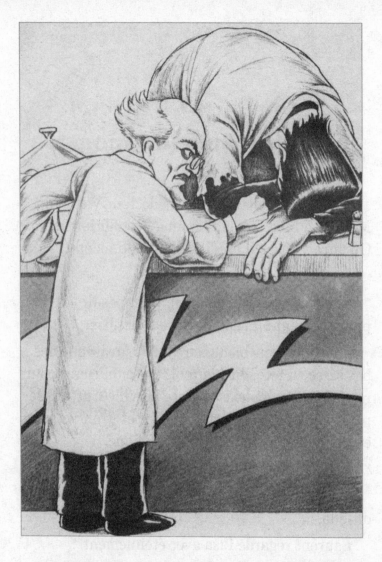

Le docteur Victor quitte la patinoire sur-le-champ,
laissant derrière lui une atmosphère glaciale.

3

La petite amie du monstre

— Tu aurais dû entendre le docteur Victor, dit Mélodie à Lisa, sur le chemin du retour à la maison. On aurait dit qu'il prédisait la fin du monde.

Paulo roule les yeux.

— Ne sois pas idiote, dit-il. Il proposait probablement à Frank de faire sa lessive.

— Je voudrais bien croire qu'il n'avait que des bas sales en tête, dit Laurent, en se tournant pour regarder le Complexe de glace de Ville-Cartier. Je pense plutôt que le docteur Victor et Frank étaient en train d'imaginer un plan maléfique.

Lisa fait non de la tête.

— Ils devaient parler de recettes de biscuits, dit-elle.

Laurent regarde Lisa avec étonnement.

— Tu ne te souviens pas? C'est toi qui affirmais que Frank était le monstre Frankenstein.

— C'est vrai, intervient Mélodie. Tu disais que le docteur Victor avait fabriqué Frank à l'aide de sa formule secrète.

Lisa rougit.

— Oui, mais je me rappelle aussi que Frank était triste de ne pas avoir d'amis. Tout le monde devrait avoir un ami.

— Le docteur Victor est son ami, lui rappelle Laurent.

— Je sais, dit Lisa, mais je pense qu'il a besoin de plus d'amis. On dirait qu'il se sent seul. On devrait essayer d'être plus amicaux.

— On dirait bien que tu veux devenir la petite amie d'un monstre, dit Paulo pour la taquiner.

Lisa arrête en plein milieu du trottoir, les mains sur les hanches.

— Je vais te dire quelque chose : l'apparence ne compte pas, c'est ce qui est à l'intérieur qui compte. Après tout, tu te conduis parfois comme un monstre, et nous sommes toujours tes amis!

Des nuages épais commencent à envahir le ciel de Ville-Cartier. Les amis marchent sans dire un mot. Le grondement du tonnerre se rapproche de plus en plus. Le vent transporte de petites branches d'arbre. Les quatre amis se dépêchent, afin d'arriver chez Paulo avant que la pluie commence à tomber.

Paulo ouvre la porte arrière de la maison.

— Vite! dit-il à ses amis. Il va tomber un déluge d'une minute à l'autre.

Laurent s'attarde et montre du doigt un gros éclair à l'horizon.

— C'est là que se trouve le Musée des Sciences, non?

Les amis regardent les éclairs sillonner le ciel au-dessus du musée. Le tonnerre gronde tellement fort, que les fenêtres et le sol en tremblent.

— Ce coup-là était assez fort pour réveiller un mort, dit Paulo en riant.

— J'ai l'impression qu'il ne faut pas prendre cet orage à la légère, dit Laurent d'une voix rauque.

Mais ses trois amis sont déjà à l'abri dans la cuisine, et ses paroles se perdent à travers les coups de tonnerre.

4

Des biscuits monstres

Lisa tapote sa montre et fronce les sourcils en voyant Paulo traverser la cour de l'école à pas de tortue.

— Vite! Je vais être en retard à mon cours de patinage.

Une semaine s'est écoulée depuis que les enfants ont été témoins de la dispute entre le docteur Victor et Frank. Lisa, Mélodie et Laurent attendent Paulo, sous le chêne.

— Pourquoi tu t'énerves comme ça? demande Paulo à Lisa, en s'arrêtant pour attacher son lacet. La glace ne fondra pas, même si tu as quelques minutes de retard.

— Si je manque quelque chose, tu vas le regretter!

— Paulo n'a jamais de regrets, dit Mélodie. Écoutez, croyez-vous que Frank est encore triste?

— Je suis sûr que tout marche comme sur des

roulettes, lui répond Paulo.

Les quatre amis se mettent en route vers la patinoire.

— Je ne peux tout simplement pas m'enlever cet orage de la tête, dit Laurent.

— Je n'aime pas les orages non plus, dit Lisa, mais nous n'avons aucune raison de nous en faire. Le soleil brille et il n'y a pas un seul nuage à l'horizon!

— Ce n'est pas l'orage qui m'inquiète, lui dit Laurent. C'est le musée et le docteur Victor.

— Je suis sûre que tout va très bien, dit Mélodie à Laurent.

— Je l'espère, mais j'ai une impression étrange, quand je songe aux éclairs qui se déchaînaient au-dessus du Musée des Sciences.

— Moi aussi j'ai une impression étrange, dit Paulo en se frottant le ventre. J'ai faim! Mon estomac est tellement vide, que je pourrais manger cinq douzaines de biscuits!

— Cinq douzaines de biscuits, ça fait soixante biscuits, dit Lisa. Même toi, tu n'arriverais pas à en manger autant.

— Les biscuits sont si petits que je parie que je

pourrais en manger trois fois plus! se vante Paulo, en ouvrant la porte du Complexe de glace. Je vais te le prouver, pas plus tard que maintenant!

Mais Paulo ne prouve rien du tout. En fait, les quatre amis n'arrivent même pas à entrer dans le casse-croûte, tellement il y a de gens qui attendent en file pour acheter des biscuits.

— Qu'est-ce qui se passe? demande Lisa. Jamais je n'ai vu autant de gens à la patinoire.

Paulo saute sur une table pour mieux voir ce qui se passe. Mélodie, Lisa et Laurent montent sur une chaise.

— Qui est-ce? demande Lisa, par-dessus le bruit de la foule.

Il y a une centaine de personnes qui attendent pour acheter des biscuits, mais Mélodie, Laurent et Paulo savent exactement de qui Lisa veut parler.

Une femme à l'allure bizarre est derrière le comptoir de biscuits. Elle est plus grande que tout le monde. Tout le monde, sauf Frank. Frank domine la foule et regarde l'inconnue prendre les commandes. Le docteur Victor se tient à côté de Frank, sa tête arrivant à peine à la hauteur du coude du géant.

16

— On dirait que ses cheveux sont pleins d'électricité, dit Paulo.

Les cheveux de l'inconnue se dressent dans les airs. Ils sont aussi noirs que le charbon, à l'exception de deux mèches blanches au-dessus des oreilles.

— Chut! souffle Lisa. Elle va t'entendre. Sa coiffure s'appelle une *ruche*.

— Je sais pourquoi, dit Paulo, d'un ton moqueur. Ses cheveux sont tissés si serrés, qu'on pourrait y cacher une ruche d'abeilles et un nid d'araignées.

— Mais non, on les verrait sur les mèches blanches, proteste Mélodie.

— On dirait bien qu'il va falloir que tu patientes pour avoir tes biscuits, dit Lisa à Paulo. La file continue de s'allonger.

— Je ne comprends pas, dit Paulo. Les biscuits ne sont pas si bons!

— Le seul moyen de comprendre, dit Laurent, c'est de s'approcher.

— Si nous faisons la file, se plaint Lisa, c'est sûr que je serai en retard à mon cours de patinage.

— Qui parle de faire la file? On n'a qu'à s'approcher discrètement des biscuits.

— Là tu parles! s'écrie Paulo. Et dans ce domaine, c'est moi l'expert. Suivez-moi!

Paulo et ses trois amis, se faufilent entre les tables, se fraient un chemin à travers la foule et rampent entre les jambes d'un homme qui veut les empêcher de passer. Finalement, ils arrivent au comptoir.

Les biscuits de l'inconnue sont gros, si gros qu'il faut les tenir à deux mains.

— Ce ne sont pas les mêmes biscuits que ceux de la semaine dernière, dit Laurent.

Paulo siffle et Lisa se lèche les lèvres. Mélodie ne peut s'empêcher de ricaner.

— J'aimerais bien voir Paulo manger cinq douzaines de ces biscuits.

— On dirait que la dame connaît la formule secrète du docteur Victor, murmure Lisa.

— C'est pire que ça, commence Laurent.

Il se tourne pour expliquer ce qu'il veut dire et voit quelque chose qui le fait pâlir d'effroi. C'est le docteur Victor qui se dirige tout droit sur eux.

— Je vois que vous avez remarqué les...ee...changements effectués au comptoir du casse-croûte.

— Il faut être aveugle pour ne pas remarquer des biscuits de cette grosseur! dit Paulo. J'ai hâte d'en manger un!

— Qu'à cela ne tienne, dit le docteur Victor en souriant. Après tout, vous êtes mes meilleurs clients. Suivez-moi, je vous prie.

Le docteur Victor emmène les enfants au début de la file. Frank les suit de près.

— J'aimerais vous présenter...eee...ma nièce Électra. Elle...eee...est arrivée la semaine dernière.

Électra porte une longue jupe blanche qui balaie le plancher lorsqu'elle se tourne vers le docteur Victor et ses amis. Électra a l'air d'avoir mal au cou. Elle bouge la tête avec raideur, et marche comme si toutes ses articulations manquaient d'huile.

— Électra, j'aimerais te présenter Lisa, Paulo, Laurent et Mélodie. Ils sont venus goûter à tes biscuits.

D'un mouvement de tête saccadé, elle salue chaque enfant.

— Quel plaisir de vous rencontrer. Mon but, c'est d'avoir le comptoir à biscuits le plus populaire du pays.

Électra parle comme elle bouge, c'est-à-dire par saccades. Elle se tourne vers Frank et sourit. C'est alors que Laurent voit quelque chose qui lui coupe le souffle.

Frank a rougi!

5

La disgrâce d'un monstre

Les amis s'installent sur un banc, près du comptoir, pour manger leurs biscuits monstres. Mais Laurent ne touche pas au sien.

— Qu'est-ce que tu as? lui demande Paulo, la bouche pleine de biscuit au beurre d'arachides.

— Es-tu malade? ajoute Mélodie.

— S'il est malade, je prends son biscuit, dit Paulo en tendant la main pour s'emparer du biscuit aux brisures de chocolat de Laurent.

Laurent éloigne immédiatement son biscuit de Paulo.

— Je ne suis pas malade. Je viens de voir quelque chose qui m'a donné le frisson.

— Nous sommes à la patinoire, lâche Paulo. C'est normal qu'il fasse froid.

— Pas ce genre de frisson. Je dirais plutôt la chair de poule. Je crois que Frank aime bien Électra.

— Et alors? dit Mélodie. Elle est très gentille.

— Moi, je l'aime bien, dit Lisa.

— Et moi aussi, dit Paulo. Ses biscuits sont uniques!

— Je ne parle pas de cette sorte d'amour. Je veux dire qu'il l'AIME, qu'il l'aime pour vrai.

— Comme c'est mignon! dit Mélodie en souriant.

— Je pense plutôt que c'est fou, dit Paulo.

Les quatre amis observent l'activité derrière le comptoir. Les biscuits monstres d'Électra se vendent tout seul. Électra est débordée, et Frank l'aide en remplissant des tasses de lait au chocolat chaud. Le docteur Victor s'occupe de mettre d'autres biscuits au four. Malgré leurs efforts, la file ne cesse de s'allonger.

— Ton idée était géniale, dit Électra à Frank. De plus gros biscuits veut dire de plus grosses ventes! C'est à toi que je le dois!

Électra est tellement enthousiaste, qu'elle fait une pause le temps d'embrasser Frank sur la joue.

Frank rentre la tête dans les épaules. Il rougit. Il ricane. Puis il se cache le visage et sort en trombe du casse-croûte. À chacun de ses pas, le lait au chocolat de Laurent se renverse.

— Quel beau couple! dit Lisa en soupirant. Frank est en amour!

— C'est dégoûtant, tu veux dire, lance Paulo. Frank est une honte pour la communauté des monstres!

— Électra ressemble un peu à un monstre elle-même, dit Mélodie. Donc ça va.

— Alors, tu l'as deviné, toi aussi! s'exclame Laurent.

— Deviné quoi? demande Lisa.

Laurent penche la tête vers ses amis, pour que personne n'entende ce qu'il va leur dire.

— Électra n'est pas réellement la nièce du docteur Victor. Ce n'est pas non plus une experte en biscuiterie. C'est un monstre, comme Frank. C'est le docteur Victor qui l'a créée pour donner une amie à Frank. Une petite amie!

Paulo crache une bouchée de biscuit.

— C'est la chose la plus ridicule que tu aies jamais dite. Les monstres et l'a-m-o-u-r, ça ne va pas ensemble, dit Paulo, en épelant le mot pour ne pas avoir à le prononcer.

— Tu as raison, intervient Lisa. Le seul monstre qu'on doit craindre, c'est l'imagination sans bornes de Laurent.

Mélodie hausse les épaules.

— Je ne suis pas sûre de croire aux monstres, mais je suis sûre que nous n'avons rien à craindre. En fait, si Électra est réellement un autre monstre Frankenstein, nos problèmes de monstres seront réglés une fois pour toutes. Nous n'avons plus qu'à amener Frank à se marier avec Électra, et tout ça deviendra de l'histoire ancienne.

— À t'entendre, on croirait qu'on meurt après le mariage, dit Laurent.

— Le mariage est bien pire que la mort, si vous voulez mon avis, dit Paulo, d'une voix neutre.

— Le mariage de deux monstres pourrait être catastrophique pour Ville-Cartier, lance Laurent. Si Électra devient la fiancée de Frankenstein, il se pourrait que des bébés monstres envahissent Ville-Cartier!

— Et puis après? demande Paulo, avant de voler une bouchée du biscuit de Laurent.

— Pour commencer, personne ne fera attention à toi, s'il y a des monstres qui courent partout, lui fait remarquer Laurent.

Paulo donne un coup de poing sur la table.

— C'est réglé, alors, dit-il. Laurent a raison. Il faut à tout prix arrêter cette romance monstrueuse!

6

Des ennuis monstres

— Nous n'avons rien à craindre, répète Mélodie, en essayant de calmer Paulo. Je suis sûre que la fiancée de Frankenstein ne fait pas de biscuits. Nous ne savons même pas si Frank est réellement en amour avec Électra.

— Et pourquoi ne le serait-il pas? Électra est très belle pour un monstre. Elle est intelligente, et elle fait d'excellents biscuits, dit Lisa.

Paulo grogne.

— Cette conversation d'amourette me rend malade, dit-il.

— Lisa a raison à propos d'Électra, dit Laurent, et je pense que Frank aussi l'a remarqué.

Les enfants tournent la tête vers la patinoire. Frank, vêtu de l'uniforme de hockey de l'équipe Coup de Foudre, décoche un tir et la rondelle frappe la bande, juste devant le casse-croûte.

Dès que Frank est certain qu'Électra le regarde, il fait le tour de la patinoire à la vitesse de l'éclair.

— Wow! dit Laurent. Frank est une vraie comète. Mais pourquoi patine-t-il si vite? Il n'y a personne à ses trousses!

— Parce qu'il veut épater Électra, dit Mélodie avec un sourire.

— Pourquoi? demande Paulo.

Lisa roule les yeux.

— *Flirter*, ça te dit quelque chose? Frank veut épater Électra parce qu'il est en amour avec elle.

— Beurk, dit Paulo.

Son visage tourne au vert pâle. Il se bouche les oreilles, pour ne plus entendre un seul mot.

— Non, *flirter*, ça ne me dit rien, lance-t-il, et ça ne m'intéresse pas!

Électra ne semble pas intéressée non plus. Elle tourne le dos à la scène et sort une autre plaque de biscuits du four.

— Oh, oh! dit Laurent. Cela peut devenir très dangereux.

— Un joueur de hockey qui tente d'impressionner une fille n'a rien de dangereux, dit Lisa.

31

— Ça le devient lorsque le joueur de hockey est un monstre en amour, reprend Laurent. Frank n'arrêtera pas tant qu'il n'aura pas attirer l'attention d'Électra. Ça ne signifie qu'une chose : Des ennuis. Des ennuis monstres.

On dirait bien que Laurent a raison. Frank attend qu'Électra regarde à nouveau dans sa direction, pour filer au centre de la glace. Il fait trois figures en huit avant de décocher la rondelle dans le filet.

Frank jette un coup d'œil vers le comptoir pour voir si Électra a vu ses prouesses. Électra ne regarde même pas dans sa direction. Elle est trop occupée à servir des biscuits à tous ses clients.

— Hhhhrrrrm! rugit Frank.

Il repart de plus belle et atteint une vitesse jamais égalée. Il bondit dans les airs et se met à tourner, comme une toupie. Malheureusement, il va beaucoup trop vite. Il atterrit sur la glace. Durement. Il perd l'équilibre et tombe. On entend la glace se craqueler.

Tout le monde retient son souffle. À présent, Frank a l'attention de tous, même celle d'Électra.

Un silence complet règne dans la patinoire. Puis,

un son terrible vient le briser. C'est le rire d'Électra!
Tout le monde finit par se joindre à elle.

— HHHHRRRRM! rugit Frank.

Le visage du géant devient rose, puis rouge. La
cicatrice de sa joue devient mauve foncé. Frank se
relève tant bien que mal. Il frappe la rondelle avec
une telle violence, qu'elle défonce la bande.

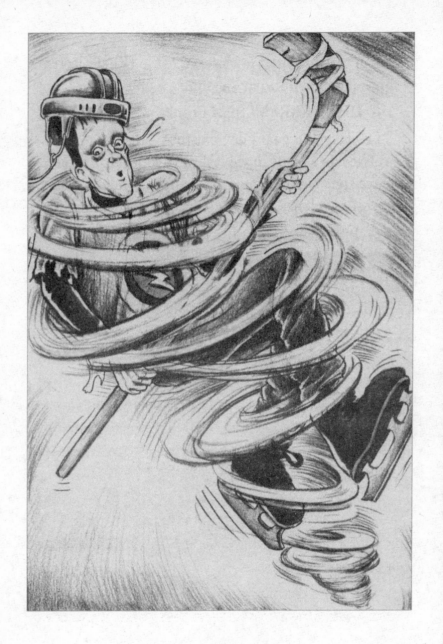

7
Cauchemars garantis à vie

— Frank va surmonter son embarras, dit Mélodie. Il ne faut pas s'en faire.

Lisa, Laurent, Paulo et Mélodie viennent de quitter la patinoire, après le cours de patinage de Lisa.

— Je n'en suis pas si sûre, dit tristement Lisa. C'est vraiment triste de faire rire de soi par la fille qu'on aime.

— Frank n'est pas en a-m-o-u-r, dit Paulo. Il pratiquait de nouvelles figures, c'est tout. Maintenant, voulez-vous cesser de parler de cette romance à la gomme, avant de me donner des cauchemars pour le reste de mes jours!

Laurent tapote l'épaule de Paulo.

— Tu as peut-être raison. Après sa chute, Frank a déguerpi de la patinoire.

— C'est exact, dit Paulo. S'il était vraiment en a-m-o-u-r, il nous aurait terrorisés toute la journée.

— Paulo a sans doute raison, dit Mélodie.

— Fiou! soupire Paulo avec soulagement. Vous m'avez inquiété. Je suis content que cette histoire d'a-m-o-u-r soit morte et enterrée. Allons boire un lait fouetté pour célébrer!

Mélodie, Lisa et Laurent accompagnent Paulo chez *Fritatout*. Quand Paulo s'apprête à ouvrir la porte, Lisa lui saisit le bras.

— On ne peut pas entrer là, s'écrie-t-elle. Regardez!

Les enfants jettent un coup d'œil par la fenêtre. Paulo se met à grogner. Électra est assise à une table, mais elle n'est pas seule. Un homme de grande taille en habit gris est assis devant elle. Ils rient de bon cœur, comme s'ils venaient d'entendre une des blagues de Paulo.

— Pauvre Frank, dit Mélodie. Électra ne doit pas l'aimer du tout.

Lisa approuve d'un signe de tête.

— On dirait bien qu'elle a déjà un petit ami.

Laurent gémit. Il grogne. Puis, il s'assoit par terre.

— Qu'est-ce que tu as? lui demande Lisa, inquiète.

— Appelez un docteur! s'écrie Mélodie.

Mais Laurent lève le bras pour les empêcher de bouger.

— Il n'y a qu'un seul docteur qui puisse trouver le remède à cette menace de monstre, dit-il. C'est le docteur Victor!

— De quoi parles-tu? demande Paulo. Je pensais qu'on allait oublier cette histoire de monstres.

Laurent pousse un soupir et se prend la tête à deux mains. Ses trois amis s'assoient autour de lui pour l'écouter.

— Je viens de me rappeler ce qui est advenu du vrai monstre Frankenstein quand on lui a créé une fiancée, dit Laurent d'une voix tremblante. Comme c'est le cas pour Électra, la fiancée de Frankenstein n'aimait pas le Monstre. Le Monstre était tellement anéanti, qu'il a tout détruit. Nous ne pouvons pas permettre que ça se reproduise à Ville-Cartier!

— Mais ça se passait dans un film, proteste Mélodie. Dans ce cas-ci, c'est la vraie vie.

Laurent hoche la tête.

— C'est pour ça qu'il est important de s'assurer qu'Électra aime Frank.

Paulo se gratte la tête.

— Je croyais que tu ne voulais pas que Frank et Électra se marient, de peur que des tas de petits monstres envahissent Ville-Cartier.

— C'était avant que je comprenne à quel point la situation est dangereuse, dit Laurent.

— Je pense que je comprends, acquiesce Mélodie. Il faut que Frank soit heureux, sinon il sèmera la terreur à Ville-Cartier, ce qui pourrait signifier notre fin à tous!

8

Un monstre
au centre commercial

— Ça c'est la vraie vie : un samedi soir au cinéma! s'écrie Paulo.

Lisa prend place derrière Paulo, dans la file qui mène au guichet.

— Ta grand-mère est gentille de nous amener au centre commercial, lui dit-elle.

— Elle adore le centre commercial. Elle va pouvoir magasiner pendant qu'on regardera le film.

— Oh, ça alors! s'écrie Mélodie. C'est Électra!

Les enfants se retournent et voient Électra vêtue d'une robe lustrée d'un bleu électrique. Elle est avec un homme. C'est le même qui l'accompagnait au *Fritatout*.

— Je ne savais pas que les monstres étaient admis au centre commercial, blague Paulo.

— Ce n'est pas drôle, dit Mélodie. Électra sort avec quelqu'un d'autre! Qu'arrivera-t-il si elle se

41

marie avec cet homme? Ce sera la destruction de Ville-Cartier!

Lisa met la main sur l'épaule de Mélodie.

— Même si deux personnes sortent ensemble, ça ne veut pas dire qu'elles vont se marier. Il faut d'abord qu'elles apprennent à mieux se connaître.

Mélodie n'est pas d'accord avec son amie.

— Il faut les arrêter avant que ça devienne sérieux.

— J'ai une solution, dit Lisa. Il faut convaincre Électra que Frank l'aime plus que l'inconnu.

Lisa et Mélodie quittent la file pour rejoindre Électra.

— Qu'est-ce que vous faites de mon film et de mon maïs soufflé, alors? gémit Paulo.

Laurent lui saisit le bras et l'entraîne.

— Il y a des choses plus importantes que ton estomac.

Comme les garçons arrivent à rattraper les filles, Lisa a déjà rejoint Électra. Elle est en train de lui raconter que Frank trouve qu'elle est la meilleure cuisinière de toute la terre.

— C'est pour ça qu'il y a tant de gens qui font la

file, ajoute-t-elle.

— C'est vrai, dit Mélodie. Frank pense que tout le monde voudra acheter vos biscuits. Vous devriez les vendre partout.

Électra rougit.

— Grâce à vos biscuits monstres, intervient Laurent, les affaires du casse-croûte vont à merveille.

L'homme à l'habit gris sourit à Électra.

— Je suis d'accord avec vous, les enfants. Électra a un succès monstre.

Électra sourit à l'homme et bat des paupières. Puis ils continuent leur chemin.

Les amis se mettent à grogner en voyant Électra et son compagnon s'asseoir à une table. Tête à tête, ils se mettent à converser sérieusement.

— Nous n'avons réussi qu'à rendre l'inconnu encore plus amoureux d'Électra, dit Mélodie.

— Je pense que notre problème de monstre vient de se changer en cauchemar! dit Laurent, en avalant avec peine.

9

La vraie vie

— C'était un super bon film, dit Paulo, en se balançant à une branche du chêne.

Paulo, Mélodie, Laurent et Lisa sont sous l'arbre. C'est leur point de rencontre avant le début des cours.

— Bien entendu, le film aurait été encore meilleur s'il y avait eu plus de monstres, ajoute Paulo.

Lisa se met à tourner autour de l'arbre, et sa queue de cheval blonde suit la cadence.

— J'ai aimé la scène où le jeune s'élance dans les ordures, au bout d'une corde, comme Tarzan, dit-elle.

— Le plus drôle, c'est quand il en est ressorti avec une banane sur la tête, dit Mélodie, en riant.

— Je trouve que le livre est encore bien meilleur que le film, dit Laurent, en jetant son sac à dos par terre.

Paulo roule les yeux.

— La vraie vie, c'est encore mieux que les livres, dit-il.

— Les films, ce n'est pas la vraie vie, riposte Laurent.

Avant que Paulo et Laurent ne commencent à se quereller, Lisa intervient.

— En parlant de vraie vie, je me suis trompée, au centre commercial. Il ne fallait pas dire à Électra que Frank l'aimait! Nous devons plutôt nous arranger pour qu'Électra tombe en amour avec Frank.

— Et pour quelle raison ferions-nous ça? demande Paulo.

— Parce que ce serait lui rendre service, répond Lisa.

— La seule personne à qui je veux rendre service, c'est moi, lance Paulo. Et je veux me servir d'autres biscuits géants. Tu oublies vite ta peur de voir de petits monstres envahir Ville-Cartier!

— J'ai pensé à ça aussi, lui réplique-t-elle. Et j'ai réalisé que Frank ne voudrait jamais avoir d'enfants, maintenant qu'il a fait ta connaissance.

Paulo s'immobilise et saute en bas de l'arbre, juste devant Lisa.

— Très drôle, p'tite tête. De toute façon, nous n'avons aucune raison d'aider Frank.

— Si, nous en avons une, dit Mélodie. Après tout, il nous a aidés à former la nouvelle équipe junior de hockey Coup de foudre.

Sur ce point, les enfants sont d'accord, car ils ont eu beaucoup de plaisir à apprendre à jouer au hockey.

— Il nous a appris à travailler en équipe, dit Laurent.

— Et il nous a donné des pétunias géants, quand nous sommes allés au Musée des Sciences, rappelle Lisa.

— Les filles ont raison, dit Laurent. Frank a toujours été notre ami.

— Il ne faut pas oublier qu'il faut protéger Ville-Cartier à tout prix, reprend Lisa. Si Frank pense qu'Électra le déteste, on ne sait pas ce qui peut arriver. Il ne nous reste qu'une chose à faire!

10

En mille morceaux

— Suivez-moi, dit Lisa à ses amis. J'ai un plan parfait pour amener Électra à aimer Frank.

Sans attendre de réponse, Lisa descend la rue en courant. Ses amis doivent se dépêcher pour la rattraper.

Quand ils arrivent à la patinoire, Électra est en train de sortir une plaque de biscuits dorés de l'immense four. Ensuite, elle y met une autre plaque de biscuits, avant de se retourner vers la longue file de clients. Elle est tellement occupée qu'elle n'a même pas vu Frank, mais les enfants, eux, l'ont vu.

Le géant est là dans l'ombre, au bout du comptoir. Il ne se tient pas droit comme d'habitude. Ses épaules sont voûtées et il a une mine de chien battu.

— Hhhhrrrrm, grogne-t-il.

Électra ne l'entend pas, car sa voix est couverte

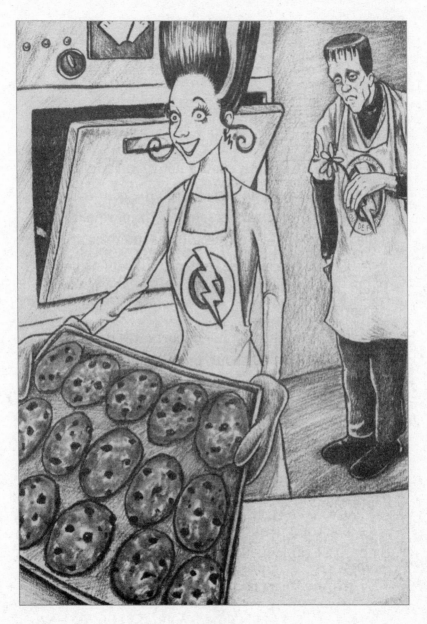

par le bruit de la foule.

— Pauvre Frank, dit Lisa. Je ne l'ai jamais vu aussi triste.

— On dirait qu'il va encore plus mal, remarque Mélodie.

— HHHHRRRRM, rugit à nouveau Frank.

De plus en plus de gens font la file pour acheter les biscuits d'Électra. Personne ne remarque Frank dans l'ombre. Seuls les biscuits les intéressent.

— Frank devrait être content, fait remarquer Paulo. Pensez à la petite mine d'or que ça lui rapporte.

— Il y a des choses plus importantes que l'argent, dit Lisa. L'amour, par exemple.

— Ouach! crache Paulo. Cette histoire a réussi à transformer vos cervelles en bouillie.

— Ce n'est pas ce qui m'inquiète, dit Laurent. J'ai peur que la population de Ville-Cartier soit réduite en mille morceaux par un monstre en dépression!

— Électra a besoin de plus de temps pour connaître Frank, dit Lisa. Elle se rendra compte qu'il est très gentil.

— Comment va-t-elle faire ça? demande Mélodie. Il y a trop de monde ici. Électra n'a même pas le temps de souffler.

— Dans ce cas, il faut nous débarrasser de tous les clients, dit Lisa. C'est la seule solution.

— On va enfin s'amuser, dit Paulo en souriant. C'est moi qui m'en occupe!

— Tu as dit que tu ne croyais pas à l'amour entre monstres, lance Lisa.

— Je crois à un seul a-m-o-u-r, celui des biscuits. Dès que j'aurai écarté tout le monde, c'est moi qui serai le premier de la file!

Avant que quiconque puisse argumenter, Paulo traverse en vitesse le casse-croûte pour faire la file.

— Paulo n'a jamais fait la file, dit Lisa. Allons voir ce qu'il mijote.

Mélodie, Lisa et Laurent rejoignent Paulo.

— L'entraîneur a dit qu'une bonne alimentation est la clé du succès d'un athlète, dit Paulo à deux adolescents, vêtus de leur équipement de hockey. Il a dit de ne pas manger de sucreries, comme ces biscuits. Mais je suppose que vous ne voulez pas vraiment devenir de bons joueurs de hockey.

Les deux adolescents se regardent.

— Le jeune a raison, dit l'un d'eux. Nous ne devons pas manger de biscuits, si nous voulons devenir des athlètes.

Et ils sortent aussitôt du casse-croûte.

Paulo avance dans la file. Il tire sur la manche du chandail d'une femme accompagnée de ses trois enfants. Paulo bat des paupières et sourit de toutes ses dents.

— Je reviens de chez le dentiste. Il dit que les aliments qui contiennent du sucre sont mauvais pour les dents. Est-ce que les biscuits contiennent du sucre?

La jeune mère regardent les biscuits géants. Elle regarde ensuite ses enfants.

— C'est vrai, dit-elle à Paulo. On ne devrait pas manger autant de sucre.

La mère sort avec ses trois enfants qui protestent en hurlant. Paulo s'éclaircit la voix pour attirer l'attention des quatre grands-mères devant lui.

— Je me demande si vous connaissez ma grand-mère, leur dit-il poliment. Elle vient de perdre 25 kg. L'infirmière lui a dit qu'elle devait suivre le guide alimentaire, si elle ne voulait pas être grosse. Est-ce que les biscuits font partie du guide alimentaire?

Le visage des grands-mères prennent la teinte des tomates.

— Je pense que je ne veux plus de biscuit, après tout, dit l'une d'elles, en entraînant ses amies vers la sortie.

Paulo sourit et gagne encore du terrain. Quand il arrive enfin au comptoir, Électra lui sourit et lui donne un biscuit. Puis elle regarde derrière lui, étonnée.

— Qu'est-il arrivé à tous mes clients? dit-elle dans un souffle. Ils ont disparu!

À la vue du casse-croûte vide, le sourire d'Électra s'évanouit. Une larme coule sur sa joue.

Sans perdre une seconde, Mélodie se précipite sur Frank.

— Vite, lui dit-elle. Électra a besoin d'encouragement.

Frank se redresse. Il sourit, de son sourire de travers, et hoche la tête.

— Encourager Électra, répète-t-il.

Il s'avance derrière le comptoir et bat des paupières. Électra lui sourit, et il se met à rougir.

— Fiou! dit Lisa. Je pense que ça marche.

Lisa a raison. Électra et Frank ont l'air de se détendre, si bien qu'Électra en oublie ses biscuits. Tout à coup, de la fumée noire s'échappe de l'énorme four.

— HHHHRRRRRMMM! rugit Frank. Le feu est dangereux!

— Ne t'inquiète pas, lui dit Électra. Les biscuits brûlés ont mauvais goût, mais ils ne sont pas dangereux.

Puis elle serre Frank dans ses bras.

— Nous avons réussi! s'écrie Lisa en tapant des mains.

Au même instant, l'inconnu du centre commercial entre dans le casse-croûte. Il n'a pas l'air content.

11

Fermé

Le lendemain, Mélodie, Lisa, Laurent et Paulo sont en route pour la patinoire.

— J'ai cru qu'ils allaient se battre pour Électra, en plein milieu du casse-croûte, dit Mélodie.

— Heureusement, à la vue de Frank et d'Électra, l'inconnu a tout de suite compris qu'il valait mieux qu'il fasse ses bagages et quitte la ville, dit fièrement Lisa. Tout ça grâce à moi!

— Nous t'avons aidée, proteste Laurent. Surtout Paulo.

Paulo se redresse et gonfle la poitrine.

— C'est moi qui ai vidé le casse-croûte en moins de deux minutes, se vante-t-il.

— Je parie que Frank et Électra sont assis dans un coin discret en ce moment même, dit Mélodie d'un ton rêveur.

— J'espère que non, dit Laurent. Je veux un biscuit. Et pas un de ceux qui ont brûlé. Même l'inconnu n'a pas voulu y goûter.

Quand les amis arrivent à la patinoire, ils sont surpris de voir une affiche collée sur la porte du casse-croûte. C'est écrit « FERMÉ ».

— Que se passe-t-il? demande Lisa. Où est allée Électra?

— Elle est allée nulle part, dit Paulo, le nez collé contre la porte vitrée. Elle est là, au comptoir. Frank aussi.

Lisa, Mélodie et Laurent s'approchent pour mieux voir. Électra est affaissée sur le comptoir. On dirait qu'elle pleure. Frank est à côté d'elle. Il n'a pas l'air beaucoup plus heureux.

— HHHRRRRMMM!

Les enfants l'entendent grogner à travers la porte.

— MA FAUTE! rugit-il. MOI MIS FEU AU FOUR!

— Oh non, gémit Lisa. Frank pense que c'est sa faute si Électra a laissé brûler les biscuits.

— Ma grand-mère laisse brûler les siens tout le temps, dit Paulo. Je ne vois pas où est le problème.

— Moi non plus, dit Laurent, mais je pense qu'il vaut mieux le découvrir.

Laurent écarte ses amis et ouvre la porte. Frank et Électra lèvent la tête.

— FERMÉ! rugit Frank. PLUS DE BISCUITS.

— Nous ne sommes pas là pour les biscuits, dit rapidement Laurent.

Lisa acquiesce d'un signe de tête.

— Nous sommes inquiets à votre sujet, ajoute-t-elle.

— Nous n'aimons pas voir nos amis tristes, dit Mélodie. Que se passe-t-il?

D'une voix tremblante, Électra leur explique la situation.

— Monsieur Crispin déteste mes biscuits, dit-elle dans un sanglot. Hier, je n'avais rien d'autre à lui offrir que les biscuits brûlés, et leur vue a suffi à le faire fuir.

— Qui est monsieur Crispin? demande Paulo.

— C'est le vice-président aux achats de la compagnie Biscuits illimités, répond Électra.

— Oh non, dit Lisa. Pas LA compagnie Biscuits illimités?

— Je connais cette compagnie, l'interrompt Paulo. Elle vend des tas de bons biscuits.

Électra acquiesce d'un signe de tête.

— Monsieur Crispin était intéressé à lancer mes biscuits sur le marché. Je serais devenue directrice de la production de ma propre compagnie de biscuits. Mais à présent, il est trop tard.

Électra baisse la tête sur le comptoir et se met à pleurer. Frank lui tapote l'épaule, mais rien de ce qu'il fait ou dit n'arrive à arrêter ses pleurs.

— Partir maintenant, dit Frank à ses amis. Veut être seul.

Laurent, Mélodie, Lisa et Paulo quittent lentement le casse-croûte et ferment la porte derrière eux.

— Je me sens horrible, dit Lisa. Je ne me suis pas rendu compte que l'inconnu, qui accompagnait Électra au centre commercial, était monsieur Crispin. Nous avons ruiné les chances d'Électra de devenir directrice d'une production de biscuits des plus populaires.

— Nous n'avons rien fait du tout, dit Paulo. C'est toi.

— Tu as raison, dit Lisa en soupirant. Et c'est à moi de trouver une solution.

12

Le Manoir Belmort

— Il faut réussir à convaincre monsieur Crispin que les biscuits d'Électra ne sont pas toujours brûlés, dit Lisa, sinon ses chances de devenir directrice de la production sont ruinées.

— Que pouvons-nous faire? demande Paulo.

— C'est simple! dit Mélodie. Nous allons apporter une plaque de biscuits à monsieur Crispin et le problème sera réglé.

— Une plaque entière des biscuits monstres d'Électra va coûter plus cher que l'allocation d'une semaine, proteste Paulo.

— Tu as raison, dit Laurent. Ça prendrait plutôt quatre semaines d'allocation.

— Ou une partie de l'argent que Paulo a reçu en cadeau, dit Mélodie.

— Minute, papillons! dit Paulo. Il n'a jamais été question de donner mes économies.

Lisa saisit Paulo par les épaules.

— Tu dois le faire, lui dit-elle. Le bonheur de Frank en dépend.

— Et puis, c'est notre ami, ajoute Mélodie.

Paulo grogne.

— Cette histoire d'amitié commence à coûter extrêmement cher, dit-il.

— L'amitié n'a pas de prix, lui dit Laurent.

Pendant que Paulo court chercher l'argent dans sa tirelire, Mélodie, Lisa et Laurent l'attendent. Le casse-croûte est dans l'obscurité lorsqu'ils arrivent.

Il n'y a pas un seul biscuit en vue.

— Qu'est-ce qu'on fait maintenant? gémit Lisa.

— Attendez une minute, dit Paulo, en sortant un biscuit de son sac à dos. Comme d'habitude, il faut que je sauve la situation. Je le gardais pour plus tard, mais je suppose que c'est pour une bonne cause.

Lisa trépigne de joie.

— Je pourrais te serrer à t'étouffer, lui dit-elle.

— Pas question, dit Paulo en reculant. Contente-toi du biscuit.

Les amis partent pour le Manoir Belmort, situé sur la rue des Cendres, au numéro 13. Un vent froid agite les branches des arbres morts, qui se dressent autour du manoir.

Le Manoir Belmort, qui servait autrefois d'auberge, est fermé depuis longtemps. On dirait qu'il a au moins trois cents ans. Ses volets pendent de travers et toutes ses fenêtres ont des carreaux brisés. Les enfants de Ville-Cartier pensent qu'il est hanté.

Un chat noir, perché sur la véranda, regarde s'approcher Mélodie, Laurent, Lisa et Paulo. Mélodie avale avec peine.

— S'il faut le faire, alors autant en finir le plus vite possible, dit-elle.

— Tu as raison, dit Paulo, en la poussant devant lui.

Le chat crache, puis disparaît au fond de la cour ombragée.

— Voilà un monstre qui ne nous inquiétera plus, ricane nerveusement Lisa.

Laurent prend une grande respiration et soulève le marteau de porte antique. Il le laisse tomber avec fracas contre la porte de bois. Les enfants entendent des pas dans le vestibule. Lentement, la porte du manoir s'ouvre en grinçant.

Mélodie a le souffle court, Lisa tremble et Paulo recule derrière Mélodie. Les genoux de Laurent s'entrechoquent, lorsqu'il lève la tête pour regarder Boris Belmort.

Boris porte une longue cape noire retenue au cou par un énorme fermoir, qui ressemble étrangement à une grosse goutte de sang. Si on oublie ses cheveux roux, Boris est le parfait sosie de Dracula.

— Bon après-midi, dit Boris, de son drôle d'accent de Transylvanie.

Lorsqu'il sourit, les enfants ne peuvent s'empêcher de voir ses deux canines pointues.

— Voulez-vous entrer? ajoute-t-il.

— Euh… non, merci, balbutie Laurent. Nous sommes venus voir un de vos invités.

— Il s'appelle monsieur Crispin, ajoute Mélodie.

— Ah oui, dit Boris, en se léchant les lèvres. Nous avons eu le plaisir de sa visite. Il est en train de faire ses bagages.

— Nous devons le voir absolument avant son départ, lâche Lisa.

— Très bien, dit Boris. Je vais lui dire que vous êtes là.

Boris disparaît. Quelques minutes plus tard, monsieur Crispin se présente à la porte. C'est bien le même homme qu'ils ont vu au centre commercial avec Électra. Il jette un regard dédaigneux aux enfants.

— Je suis un homme très occupé, leur dit-il. Que voulez-vous?

— Vous ne pouvez pas partir avant d'avoir goûté

68

aux biscuits d'Électra, se hâte de dire Lisa.

— Je les ai vus, dit monsieur Crispin. Ils étaient brûlés et dégoûtants.

— Elle ne fait jamais brûler ses biscuits d'habitude, dit Paulo. Ce sont les meilleurs biscuits que j'aie jamais mangés.

Laurent manifeste son accord d'un signe de tête.

— C'était notre faute s'ils étaient brûlés, hier, dit-il.

— Tenez, dit Lisa, en tendant le biscuit de Paulo à monsieur Crispin. Nous vous l'avons apporté pour que vous puissiez y goûter.

Monsieur Crispin regarde le biscuit.

— Je vais le prendre, dit-il, en s'en emparant, mais je ne crois pas avoir le temps d'y goûter.

Puis, sans un mot de plus, monsieur Crispin ferme la porte du Manoir Belmort.

13

Biscuits monstres inc.

— Nous sommes allés à la patinoire hier, se lamente Paulo. Pourquoi faut-il y retourner? Je veux regarder les dessins animés.

Lisa saisit le bras de Paulo et l'entraîne sur le chemin qui mène au Complexe de glace.

— Il faut réparer les dégâts qu'on a faits hier, lui dit-elle. Laurent et Mélodie sont sûrement arrivés.

Paulo grogne. Toute cette histoire d'a-m-o-u-r l'empêche de regarder ses dessins animés. Et ça, c'est grave. Il songe à rappeler à Lisa qu'elle est la seule responsable de tout ce gâchis. Il songe à faire semblant d'être malade pour pouvoir rentrer à la maison. Mais il n'a le temps de faire ni l'un ni l'autre.

Mélodie et Laurent arrivent en courant.

— Dépêchez-vous, crie Mélodie. Vous ne le croirez jamais!

71

— Qu'est-ce qui est si urgent? demande Paulo en courant vers la patinoire avec ses amis.

— Regardez, s'écrie Laurent, en pointant le casse-croûte du doigt.

Le comptoir est vide, à l'exception d'une tasse en papier chiffonnée.

— Regarder quoi? demande Paulo d'un ton maussade. Il n'y a même pas un seul biscuit.

— C'est bien de ça dont il s'agit, dit Mélodie. Une catastrophe a dû se produire. Électra est partie!

Lisa se prend le visage à deux mains.

— Oh non! Qu'est-ce que j'ai fait? J'ai ruiné la vie d'Électra!

Au même moment, le docteur Victor arrive derrière eux en les fixant avec insistance.

— Électra est partie, et c'est à cause de vous!

La gorge de Lisa se serre quand le docteur Victor se rapproche de plus en plus d'elle. Au moment où il va lui poser la main sur l'épaule, Paulo pousse un cri! Mais le scientifique ne fait que donner de petites tapes dans le dos de Lisa.

— Vous n'êtes pas en colère? demande Lisa d'une voix étranglée.

Le docteur Victor sourit.

— Pourquoi serais-je en colère? Électra n'a jamais été aussi heureuse. Elle m'a raconté que vous aviez donné un biscuit à monsieur Crispin. Il l'a adoré.

— C'était mon biscuit, marmonne Paulo.

— Grâce à vous, continue le docteur Victor, Électra est devenue présidente de sa propre compagnie, Biscuits monstres inc.

— Super! dit Mélodie en applaudissant.

— Électra a pris l'avion pour Montréal, afin de discuter de sa production avec les représentants de la compagnie Biscuits illimités. Frank l'a accompagnée.

Sur ces derniers mots, le docteur Victor quitte les enfants. Mélodie se met à gémir.

— Oh non! Cela signifie que deux monstres vont envahir Montréal, dit-elle.

— Ne t'inquiète pas, dit Paulo. À Montréal, il y a une foule monstre. Et c'est normal.

— Tout s'est finalement arrangé, dit Laurent. Je suis content que nous ayons débarrassé Ville-Cartier de Frankenstein et de sa fiancée.

Lisa pousse un grand soupir.

— Après tout, ils ne sont pas des monstres, dit-elle. Ce sont des amoureux, tout simplement.

Paulo grogne et se tient le ventre. Il cesse son manège, dès qu'il voit revenir le docteur Victor avec une grosse boîte.

— Électra voulait que je vous donne ceci pour vous remercier, dit-il, avant de partir.

Paulo ouvre la boîte. Elle est pleine de biscuits monstres.

— Ça alors! s'écrie Paulo avant de se fourrer des biscuits plein la bouche.

Mélodie éclate de rire et se sert.

— Nous avons sans doute réussi à nous débarrasser de deux monstres, dit-elle, mais il en reste un autre très gourmant à Ville-Cartier. Et ce monstre, mangeur de biscuits, s'appelle Paulo!

Debbie Dadey et **Marcia Thornton Jones** ont du plaisir à écrire des histoires ensemble. Lorsqu'elles travaillaient toutes les deux à l'école élémentaire de Lexington, au Kentucky, Debbie était bibliothécaire et Marcia était enseignante. Durant leurs dîners à la cafétéria, elles ont eu l'idée des élèves de l'école Cartier.

Récemment, Debbie et sa famille ont déménagé à Aurora, dans l'Illinois. Marcia et son mari vivent encore au Kentucky où Marcia continue d'enseigner. Comment ces auteures arrivent-elles encore à écrire ensemble? Elles se parlent au téléphone et se servent d'ordinateurs et de télécopieurs!

Table des matières